TO KOMMA NUL

Dit liv
Din bog
Dine mål

Din målsætningsguide
- til et bedre liv -

NICOLAI FALKENBERG
JOHN-ERIK BANG

TO KOMMA NUL

Dit liv
Din bog
Dine mål

Din målsætningsguide

- til et bedre liv -

Redaktion: Falkenberg og Bang
Korrektur: Falkenberg og Bang
Lay out: Falkenberg og Bang

Forlag: BoD - Books on Demand, København, Danmark

Tryk: BoD - Books on Demand, Norderstedt, Tyskland

ISBN: 978-87-4303-014-0

Tokommanul

Tokommanul er et personligt udviklingsprogram, udviklet af de to coaches, Nicolai Falkenberg og John-Erik Bang.

Ideen til Tokommanul opstod, efter at de igen og igen mødte mennesker i coaching-sessioner, hvor disse mennesker efter endt coachingforløb gav udtryk for, at "de følte sig som en version 2,0 nu"

Fælles for de mange mennesker var, at de var igennem nogenlunde samme forløb med samme redskaber.

Det gav et afsæt til udviklingen af et skarpt skåret 2,0 program. Et program hvor deltagerne får mulighed for, at arbejde med en endnu stærkere version af dem selv. Et program der giver et ualmindeligt stærkt personligt fundament til, at skabe klarhed over livet.

Så det man får, er en skærpet bevidsthed omkring sig selv og ens omverden. Noget man måske vidste og gjorde i forvejen, men ikke var bevidst om. Eller måske noget man slet ikke havde tænkt over før. Uanset hvad er det ny viden, der skaber et fundament for det stærkeste afsæt til et godt liv.

Det er stærke redskaber med udgangspunkt i den enkelte selv, og ingen anden. Det er personlig udvikling i trygge rammer sammen med andre, der har et ønske om skærpet bevidsthed om sig selv og omverden.

Tokommanul er et kursusforløb, en hjemmeside med uddannelsesvideoer, og en række bøger hvor du kan arbejde endnu mere med de forskellige redskaber.

Indledning

Indledning

Som coaches møder vi ofte mennesker i situationer, hvor der er behov for, at få styr på en række personlige fundamentale ting. Når der er styr på dette fundament, guider, støtter og vejleder vi i, at eksekvere på dette.
Sætte gang i processerne i forhold til det personlige fundament.
Sætte mål op, i forhold til det der er vigtigt for den enkelte.
Når der er sat gang i de forskellige processer, gælder det om at holde momentum og få det optimale ud af, at kende sit eget fundament og personlige mål.
Det er ofte på den måde vi arbejder.

Ud fra dette har vi nu udviklet dette forløb.

Din bog, din guide, din journal, dit værktøj til at komme fra A til B.

Din version tokommanul.

To Komma Nul

Denne målsætningsguide er personlig. Hvis du finder den, så læs venligst ikke i den. Men aflever den til ejeren.

Denne bog tilhører

Forløbet her i journalen i overskrifter:

Gør bogen til din personlige bog ved at interagere med den
Dit personlige fundament
Eksekvering
Momentum

Det er din guide, til at optimere på din hverdag, din fremtid, dit liv.
Det hele er krydret med en række små og ikke mindst stærke redskaber.

Velkommen til dit liv.

Din version 2,0

Præsentation af forfatterne:

John-Erik er Master Coach og Coach Trainer.
Siden midten af 00'erne har John-Erik arbejdet som coach, konsulent og rådgiver og rundede i 2020 10.000 1:1 samtaler.
Sideløbende med de mange 1:1 sessioner uddanner John-Erik kommende coaches, skriver bøger og laver workshops mm.

Nicolai er Practitioner coach og High Performance Coach.
Nicolai arbejder blandt andet med, at få den største ydeevne og præstation frem i sine klienter via hans 12 ugers program og har udviklet et online kursus som udvikler og støtter ledere og ansatte i skønhedsbranchen.

Indholdsfortegnelse

Bogens opbygning

Guiden er visuelt opbygget, med plads til dine ord, dine tanke, dine følelser

Følelser og tanker kan du enten skrive ned eller tegne, hvis du har brug for dette.

Der er en klar struktur til, at lave din personlige plan for optimering og forbedring. Og en struktur til at fastholde dine nye mål og vaner.

Der er plads til, at du også skriver dagbog, hvis du har behov for dette. Eller hvis du hellere vil tegne dagbog så gør det.

Når du kommer længere ind i guiden, vil du i nederste højre hjørne finde en lille boks.

Dette er en idefanger, hvor du kan nedfælde ideer, som du løbende får, og som du måske vil eksekvere på.

Gør det personligt.

For at få mest ud af denne bog, foreslår vi at du integrerer dig så meget som muligt i den.

På næste side skal du skrive det ordsprog, der passer bedst på dig.

Allerede nu starter vi med at opbygge dit indre ressourcecenter.

Din personlige power

Find 3 stærke ord som beskriver dit mest succesfulde selv.
Hvis du ikke lige synes du har nogen, så opfind nogle power ord.

Skriv dem her:

Find 3 stærke følelser som du finder ressourcefyldte.

Hvis du ikke lige synes du har nogen, så opfind nogle power følelser.

Skriv dem her:

Dine ord
Dine ressourcer

Dine power ord er ressourcer.
Ressourcer du kan trække på i svære situationer.

Vi er ikke tryllekunstnere, så vi mener ikke, at dette kan fjerne, alt det som er svært.

Men i situationer hvor du har brug for en ressourcetilstand, kan du huske på disse ord og lade styrken i dem, integrere sig i dig.

Vi ved det virker og at det kan hjælpe dig i forskellige situationer.

Her har du mulighed for, at tegne noget der, er vigtigt for dig.
Eller sætte et billede ind af den eller det vigtigste i dit liv.

Bogen er opbygget som følger:

Først så arbejder vi med dit personlige livsfundament samt de vigtigste livsregler for et langt liv.

Dit personlige livsfundament er dine helt private værdier, som vi arbejder med.

De vigtigste livsværdier for et langt liv er forskningsbaseret, og hvis du bringer disse i spil, er det et fundament for at
kunne leve længere.

Når vi har dette på plads er strukturen i bogen, at du løbende kan arbejde med din progression og dine personlige mål.

Når dine mål er sat i forhold til dine værdier, går vi i gang, og siden holder vi sammen momentum.

VÆRDIER

"Et hus bygget på det rette
fundament står stærkere"

VÆRDIER

Som coaches arbejder vi ofte med personlige værdier, sammen med dem som vi møder i 1:1 sessioner eller på vores kurser.

Igen og igen ser vi, hvor meget mening det giver for den enkelte, når man først får klarhed over ens egne personlige værdier.

Her i guiden arbejder vi med to typer værdier.

1. Personlige værdier
2. Livsværdier

Når du begynder, at arbejde med dine værdier, kan der sagtens være sammenfald mellem personlige værdier og livsværdier.

"Det som er vigtigt for dig"

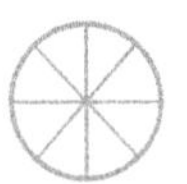

Historie

Vi møder i vores dagligdag, løbende mennesker som har arbejdet udfra metodikken i denne bog.

For at illustrere dette for dig, har vi valgt en af de i hundredvis af historier vi har, for at vise dig styrken i redskaberne du her får.

Historien er lidt ekstrem men ikke desto mindre sand.

Den fortælles i en lidt kortere version end den fulde længde. Den kommer her:

Jeg blev ringet på hjemmebesøg. En yderst overvægtig mand der ikke havde lyst til, at komme til mig, så jeg tog til ham. Hans overvægt var livstruende, og han havde fra lægen modtaget hans dødsdom, med en forventet levetid på max. 6 måneder.

Efter kort tid var forløbet godt i gang. Vi var rundt om mange forskellige ting, og på et tidspunkt spurgte jeg, om han havde tænkt over hans værdier.
Det havde han ikke, og han syntes det var lidt "de bløde værdier" vi her talte om.
Dog for coachens skyld lavede han en liste over hans værdier frem til næste møde.

Vi arbejdede med hans værdier, og da han blev spurgt om, hvordan det kunne være der ikke stod "Sundhed" på hans liste, blev han meget meget stille.

Herefter tog han listen med nedskrevne værdier, og henover toppen af disse skrev han med stort: "SUNDHED"

Og så begyndte vi struktureret, at arbejde med den værdi på alle tænkelige måder.

Personlige værdier

Personlige værdier

Dine personlige værdier er det, som er det vigtigste for dig i dit liv.

Det som du lever efter, eller måske glemmer at leve efter. I historien om den overvægtige mand kan du se, hvordan han ved at blive bevidst om hans værdier, faktisk fik succes i hans liv.

Der er bl.a. den fremgangsmåde du skal følge, i forhold til dine personlige værdier.

Fremgangsmåden og processen i sig selv er beskrevet i det følgende.

Når vi har dine værdier klar, skal du arbejde ud fra disse, og løbende holde dig a'jour, om du husker, at leve dine værdier.

I journalen, under Momentum-delen skal du løbende holde fast i dig selv, gennem dagbogsskrivning.

Livsværdier

I dag er der forsket meget i livsstil, og hvad der kan forlænge dit liv med 10 til 20 år. Forskning viser, at hvis du lever efter det vi kalder livsværdier, er der stor mulighed for, at leve mindst 10 år længere.

Man kan selvfølgelig ikke garantere et langt liv, men man kan leve efter nogle bestemte retningslinjer, som er understøttet af forskning og som påviser, at hvis man lever efter disse retnings-linjer, er der stor mulighed for et længere liv.

Man komme ud for ulykker eller blive syg.
Men også her kan man selvfølgelig komme tilbage fra dette, og få et godt liv.

Så uanset hvad kan du opnå større livskvalitet, ved at leve efter livsværdierne.

Livsværdier

Livsværdier, eller livshandlinger er som følger:

- Motion
- Sund kost
- Mental sundhed
- Søvn
- Mening/passion
- Familie
- Gode venner
- Altruisme
- Humor/glæde
- Optimisme

For hver livsværdi er der selvfølgelig noget viden, som du skal have med. Hvis du mangler viden på et af områderne, så søg oplysninger selv.

Som menneske bliver du mere glad og stærk, hvis du lever både dine Personlige værdier og dine Livsværdier.

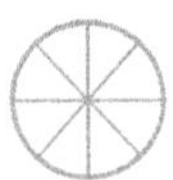

Personlige værdier

Sådan gør du

Find dine personlige værdier.
En værdi er noget, der er vigtigt for dig i dit liv.
Nogle tænker alt er jo vigtigt, men det er sådan, at når man mærker efter, er der altid noget, der er vigtigere end andet.

Så spørg dig selv; hvad er vigtigt for mig i mit liv?

Det kunne for eksempel være:
Glæde
Venner
Mad
Leve sundt
Motion
Glæde
Musik
Kæreste
Kreativitet
Viden
Dynamisk

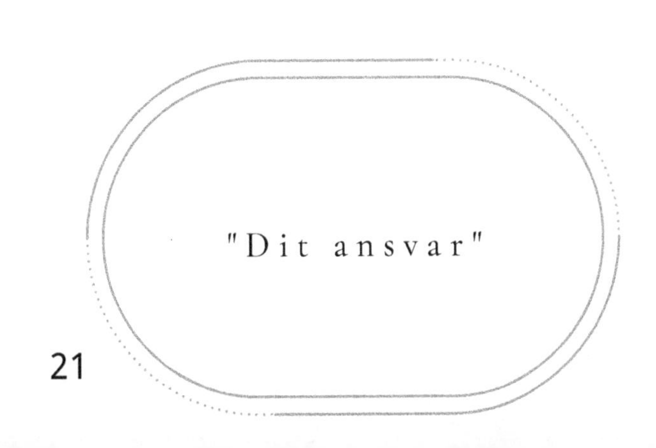

Find dine personlige værdier, det der er vigtigt for dig.

Brug gerne god tid til dette, minimum et par timer gerne en dag eller to, eller måske endda længere.

Det kan være en ide at skrive ned her, så snart du kommer på én.

Personlige værdier

Skriv dine vigtigste værdier op herunder:

x

x

x

x

x

x

x

x

x

x

x

Noteringsside, dine tanker mm.

Ideboks

Når du har fundet dine værdier skriv dem da op i prioriteret rækkefølge herunder.

1

2

3

4

5

6

7

8

9

10

11

12
osv

Noteringsside, dine tanker mm.

Ideboks

Når du har prioriteret dine værdier skal du gå frem efter følgende metode:

Vi har et hjul som er herunder:

VÆRDIHJULET

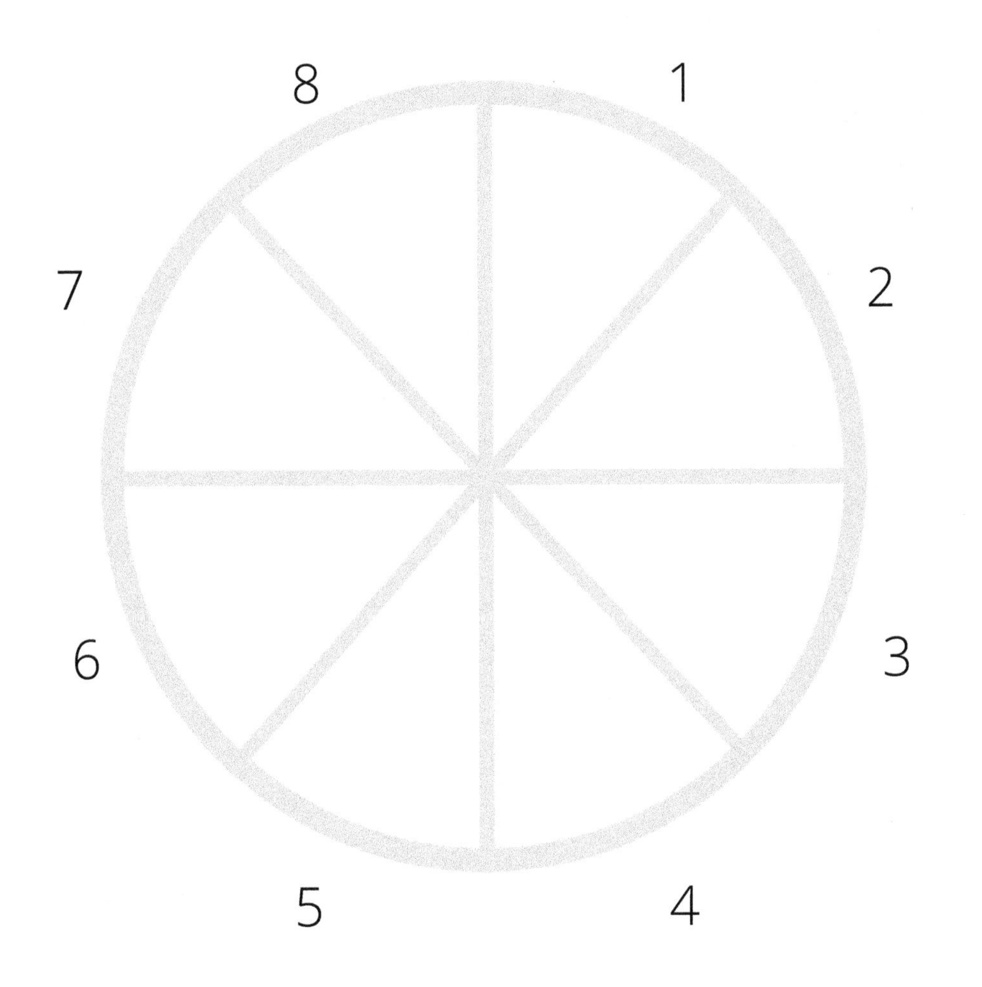

Hvert felt repræsenterer nu en af dine 8 vigtigste værdier fra den prioriterede liste. Det kunne for eksempel være:

1. Venner
2. Familie
3. Træning
4. Læsning
5. Søvn
6. Selvtillid
7. Selvværd
8. Komme ud af huset

VÆRDIHJULET

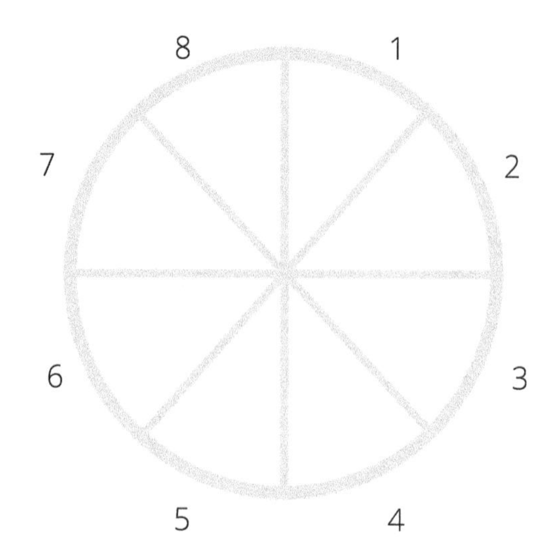

Du skal nu score dine værdier ind i værdihjulet.

For eksempel i felt nr. 1 repræsenterer feltet i eksemplet her, din værdi "venner".

Du skal nu score dig ind, og skravere feltet i forhold til hvormeget, din værdi er udfyldt.

Du skal scorer dig ind, på en skala fra et til ti, hvor ti er det højeste.
Ti er helt ude ved cirklens yderste kant og 1 er helt inde omkring midten.

For eksempel hvis din værdi "venner" kun er på en 5'er ift hvor vigtig den er for dig, skal du sætte en streg i midten af felt nr. 1 som repræsenterer "venner".

Se eksempel her:

VÆRDIHJULET

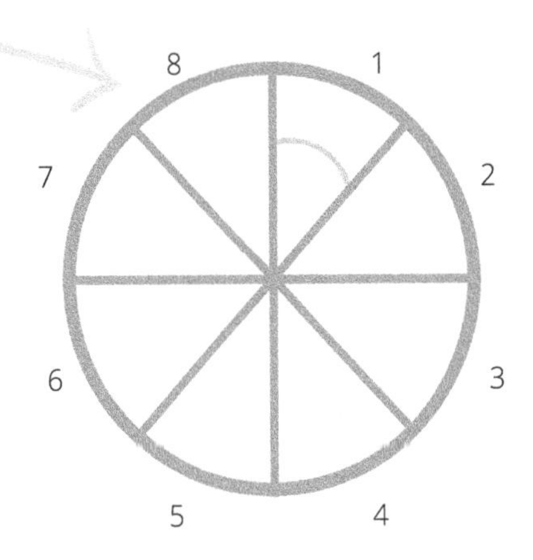

På den måde skal du fortsætte hele cirklen rundt på næste side

Her kan du se hvordan det skal gøres:

1

Når du har prioriteret dine værdier skal du gå frem efter følgende metode:

Vi har et hjul som er herunder:

VÆRDIHJULET

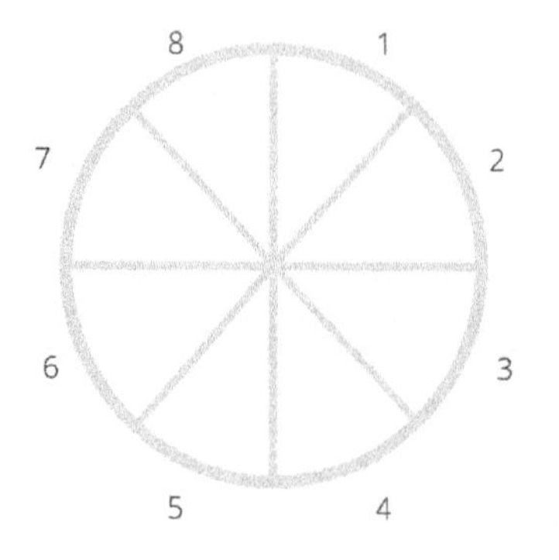

2

Dernæst finder du de værdier du gerne vil arbejde med.
Her er et eksempel fra en vi mødte, der havde mistet en masse selvtillid og selvværd i et ret hårdt personligt forløb.

Han valgte følgende værdier han ville arbejde med:

1. Venner
2. Familie
3. Træning
4. Læsning
5. Søvn
6. Selvtillid
7. Selvværd
8. Komme ud af huset

VÆRDIHJULET

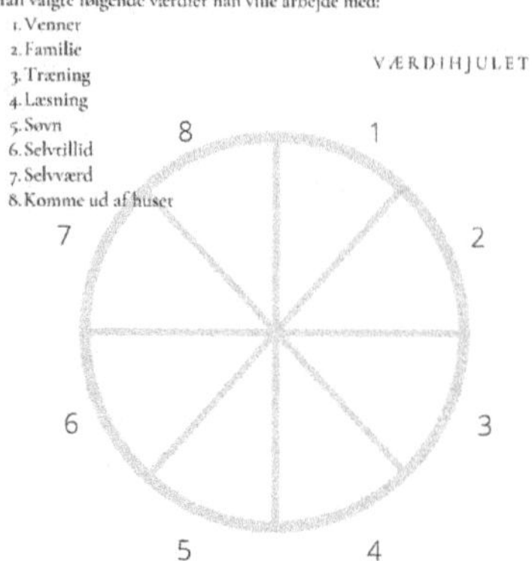

Hvert felt fik så en "værdi."

Herefter skal der så scores ind, hvor meget værdien er opfyldt på en skala fra 1 til 10, hvor 10 er det højeste.
Der skal nu sættes en streg i det enkelte felt, der viser hvor meget værdien er opfyldt.
Hvis værdien kun er opfyldt på en "2"er skal der sættes en streg der viser dette.

3

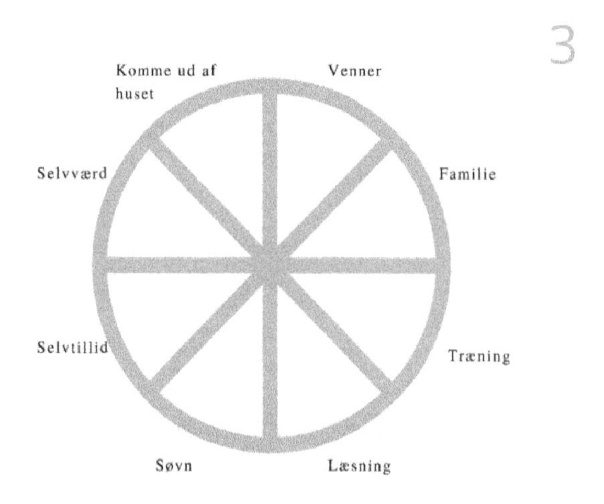

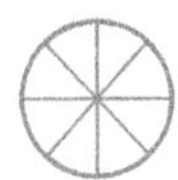

Værdihjulet når det er udfyldt:

Her kan du se følgende værdihjul fra vores eksempel

Værdierne er:
1. Venner
2. Familie
3. Træning
4. Læsning
5. Søvn
6. Selvtillid
7. Selvværd
8. Komme ud af huset

Tallet efter den enkelte værdi viser hvor meget værdien var opfyldt på skalaen 1 til 10

Værdierne er:
1. Venner (3)
2. Familie (8)
3. Træning (3)
4. Læsning (5)
5. Søvn (6)
6. Selvtillid (3)
7. Selvværd (2)
8. Komme ud af huset (5)

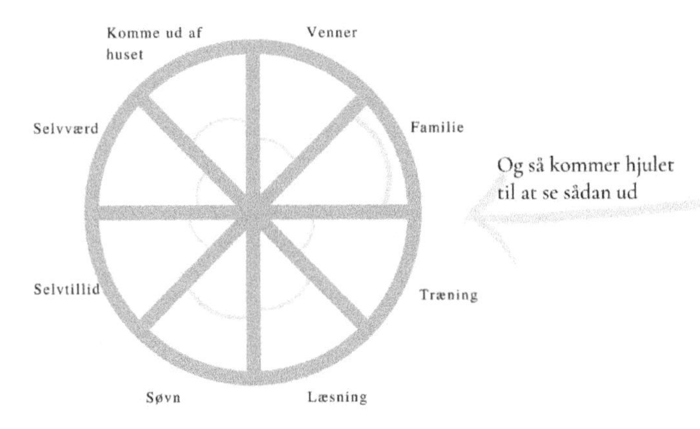

Og så kommer hjulet til at se sådan ud

Nu kan du kan du så vælge hvilke af dine værdier du vil starte med at arbejde med.

Når du har valgte dette, er det altid en god ide at sætte et mål ind i en målsætningsmodel.

Målsætningsmodellen SMARTSEE er en vi ofte bruger når vi arbejder. Den er simpel, specifik og ikke mindst viser forskning, at det er en rigtig god måde, at at arbejde med mål på.

Dine personlige værdier

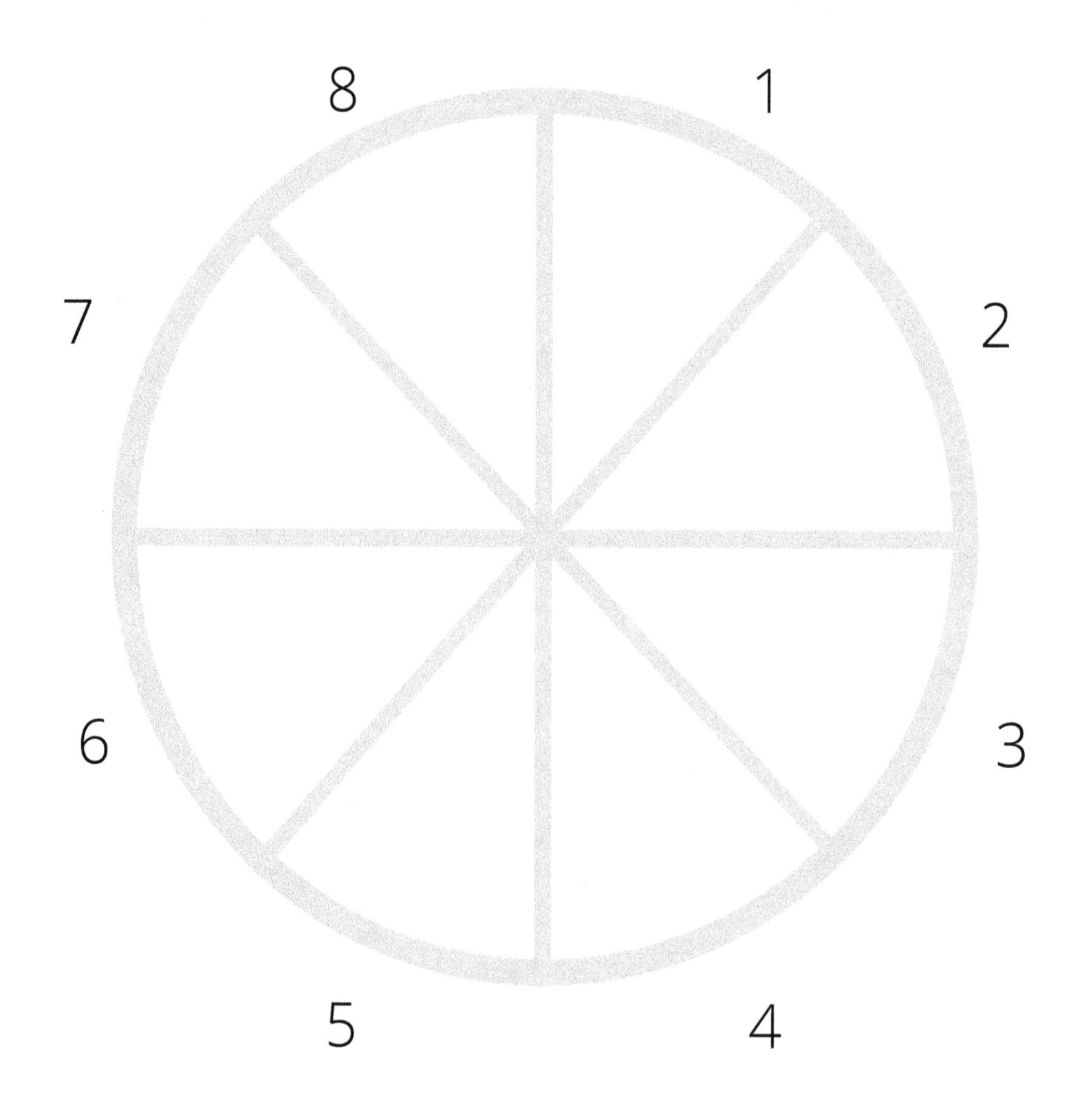

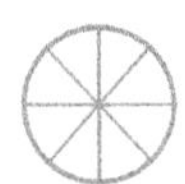

Dine livsværdier

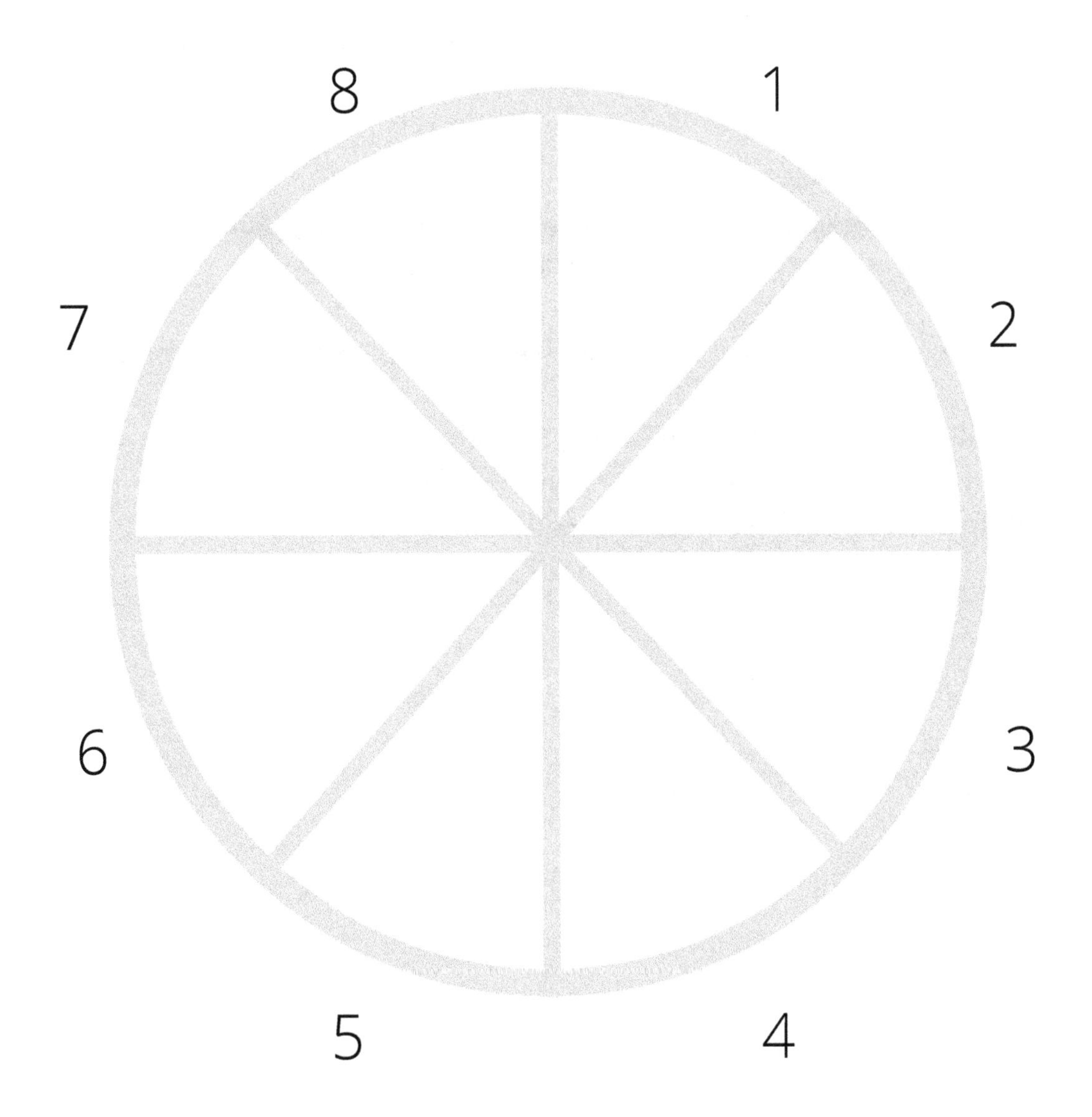

Du vil måske finde, at der er sammenhæng mellem dine Livsværdier og dine Personlige værdier.

Det er helt normalt.

Værdierne er udgangspunkt for, at skabe balance i dit liv.

Næste skridt er, at bruge værdierne som udgangspunkt for denne balance.

Alle dine værdier skulle gerne være på mindst 5 og derover.
Der hvor den er 5 eller under, er der hvor du kan sætte ind, for at komme til at stå stærkere i livet. Leve meningsfuldt.

"Jo mere du lever
dine værdier
jo større
BALANCE"

Eksekvering

"Det er i handlingen, at livet skabes"

Historie

Med den overvægtige mand begyndte nu et yderst struktureret forløb.

Vi arbejdede ud fra værdien Sundhed, men brød det op i forhold til hvad det betød. Herunder:

- Kost
- Bevægelse
- Mindset
- mm

Alle mål blev gjort meget specifikke. Helt fra små mål i dagligdagen, til ugemål, til månedsmål.

Han begyndte, at træne fysisk. Første mål var sådan helt reelt, at kunne gå ned til næste lygtepæl på vejen.
Vi satte forskellige mål ind i blandt andet SMARTSEE modellen, som du kan se længere fremme i bogen her.

Han arbejdede seriøst med kost. Tog til Hamborg og undersøgte alternative behandlingsformer ift. overvægt.
Hev personlige trænere og kosteksperter ind.
Han begyndte, at tabe sig.

Vi måtte have fat i en læge, fordi hans krop havde udfordringer med de store forandringer han lavede i hans liv og krop.

Han førte journal og skrev dagbog dag for dag. Satte dagsmål op ift. hans lidt større mål.

Fejl blev til læring - læring blev til ny viden der blev brugt. Selv her sent i hans liv følte han, at hans livskvalitet steg markant.

Dine værdier er dit personlige fundament.

At lave et afsæt på det personlige fundament, er altid en god ide, da du her handler på det, der er vigtigt for dig.

I det følgende skal vi arbejde både med eksekvering på dine Personlige værdier og dine Livsværdier.

Men vi skal også arbejde med en række mål, der er vigtige for dig.

I forhold til værdierne siger en tommelfingerregel, at hvis den enkelte værdi er 5 eller lavere end 5 da du scorede den ind i værdihjulet, er det vigtigt, at arbejde med den eller de værdier.

Sådan gør du:
Tag den eller de værdier der skal arbejdes med og sæt et mål op for hvordan du vil arbejde med denne.

Hvis for eksempel værdien er scoret til 4 i værdihjulet, så sæt et mål for, hvordan du vil komme fra 4 til 5.

Et eksempel kunne være:
Min værdi "Fysisk træning" er kun på 4, men er en af mine vigtigste værdier.
Den er på 4, fordi jeg glemmer at få trænet, og når det 1 til 2 gange om ugen.

Jeg vil gerne hæve den til mindst 8, men vælger at starte med små skridt i forhold til dette.

Så jeg vælger, at jeg sætter mig et realistisk mål, der hedder at for at få den op på 6 skal jeg træne mindst 3 gange om ugen.
For at gøre det specifikt og målbart vælger jeg også specifikke dage og træningstider.

Og så går jeg i gang.

Fordi det er en vigtig værdi for mig, vil det allerede efter få uger have en positiv indflydelse på mig at få trænet.

Nu er det din opgave, at arbejde dig igennem dine værdier, værdi for værdi og få hævet dem alle, så de er på 6 eller derover.

Brug planlægningsværktøjerne lidt længere fremme i bogen.

Hvilke værdier vil jeg arbejde med?

Ideboks

Tankeside

Ideboks

Målsætningskontrakt

Som du ved, så er en kontrakt bindende. Det vil sige, at på næste side så binder og forpligter du dig til ét mål.

Dette skal du kunne opnå i løbet af de næste 30 dage eller senest på 30. dagen.

Målet sætter du selv, så sæt et mål som du ved, at du kan opnå og tilføj så yderligere 20%, så du får en større indre belønning.

Kontrakten vil komme igennem hele journalen, så du konstant kan sætte et 30 dages mål og opnå det.

Så sæt et mål som udfordrer dig selv og udvikler dig.

30 dages målsætningskontrakt på dine værdier

Over de næste 30 dage vil jeg arbejde med denne/disse værdier og opnå dette mål.

Det er vigtigt for mig fordi...

Planen for at nå mit mål er...

Jeg bekræfter hermed at jeg vil nå mit mål inden for de næste 30 dage

Dato / - Underskrift

Målsætningsguide

At arbejde med mål i løbet af dagen, ugen, året vil få dig til at føle, at der sker en ønsket bevægelse i dit liv.

Det vil skabe bevidsthed om, at der sker noget. Selvfølgelig hvis det er det, som du ønsker.

Dit fokus
Dit liv

Så sæt mål for dig selv og dit liv.

Det skaber bevægelse, dynamik og glæde.

Du kan sætte mål op for alt. Det der er vigtigt når du arbejder med mål er, at de er realistiske og at de giver mening for dig. På den ene eller anden måde.

Her kommer en række eksempler på hvilke mål du også kan arbejde med.

- En god dag
- Personlig udvikling
- En god start på dagen
- En glad dag
- Familie
- En rolig dag
- Din karriere
- Din fritid
- Uddannelse
- Dit kærlighedsliv
- Din økonomi
- Dit forhold til dine venner

Mulighederne er uendelige - og op til dig, hvor meget du vil arbejde med de forskellige mål.

"Hvis du ikke gør noget,
sker der ikke noget!"

Når du arbejder med mål, er det vigtigt, at du er bevidst om dine tankemønstre i forhold til dette.

Nogle mennesker afholder sig fra at sætte sig mål, alene fordi de frygter at fejle.

Andre arbejder med mål hele tiden og har indstillingen "at fejle er at lære"

Tankemønstrene kalder vi Sølv til Guld. Eller fra Sølv til Guld.

Prøv at se på den følgende side.

Hvis dit tankemønster fortrinsvis er i området "Sølv" sker der ikke så meget. Og der er meget at arbejde med.
Hvorimod hvis du er i "Guld" sker der masser af aktivitet.

Drømmer Fra Sølv	Sætter mål Til GULD
Taler om	Sætter mål
Drømmer om	Undersøger
Fortæller andres historier.	Handler på mål (og delmål)
Er fejlfri.	Er aktiv i sit liv
Tendenserer at brokke sig.	Fejler – men lærer af fejl
Peger fingre (af dem der fejler)	Føler sig i live

SMARTSEE

Et sidste redskab i forhold til at arbejde med mål.

For at du skal få størst udbytte af at arbejde med mål, er det vigtigt, at du gør disse meget specifikke. Jo mere specifikt jo nemmere bliver det at eksekvere på, men også tydeligere at vide, når du er kommet helt i mål.

Vi arbejder som coaches med følgende formel
SMARTSEE

S - Specifikt som muligt

M - Målbart - hvordan måler vi på vi er i mål

A - Attraktivt - er det attraktivt nok for dig

R - Realistisk - er det realistisk

T - Tid - hvornår skal du være i mål

S - Sammenhæng - fungerer det med dit øvrige liv

E - Eliminer udfordringer

E - Execute - Hvornår?

SMARTSEE

Eksempel på hvordan du kan bruge dette redskab.
For overskuelighedens skyld og for at vise det simpelt, bruger vi her det at ville tabe sig 3 kilo. Dette er målet og dette sætter vi nu, i det nedenstående ind i modellen.

<u>SMARTSEE</u>

S - Specifikt som muligt
Mit mål er at jeg vil tabe mig 3 kilo

M - Målbart - hvordan måler vi på vi er i mål
Jeg er i mål når jeg har tabt 3 kilo

A - Attraktivt - er det attraktivt nok for dig
På en skala fra 1 til 10, hvor 10 er det højeste er det en klart 10'er

R - Realistisk - er det realistisk
Det er realistisk da jeg er noget overvægtig. Alene derfor er det ikke urealistisk.

T - Tid - hvornår skal du være i mål
Jeg skal være i mål om 2 måneder. Og skal derfor tabe ca. 1,5 kilo om måneden. Eller ca. 0,75 kilo hver 14. dag.

S - Sammenhæng - fungerer det med dit øvrige liv
I forhold til mit øvrige live hænger det fint sammen. Min kæreste skal også tabe sig lidt, så sammen kan vi gå efter hvert vores (nogenlunde) ens mål.

E - Eliminer udfordringer
Vi har valgt ikke at have slik i huset, kun drikke rødvin i weekender og undgå at spise hvidt brød og pasta. Når det bliver svært skal vi støtte hinanden.

E - Execute - Hvornår?
Vi går i gang d.01.03.20xx og er i mål d.30.05.20xx!

Noteringsside

Mål jeg vil arbejde med:

Ideboks

SMARTSEE

Noterings side - sæt dit mål ind i

S - Specifikt som muligt

M - Målbart - hvordan måler vi på vi er i mål

A - Attraktivt - er det attraktivt nok for dig

R - Realistisk - er det realistisk

T - Tid - hvornår skal du være i mål

S - Sammenhæng - fungerer det med dit øvrige liv

E - Eliminer udfordringer

E - Execute - Hvornår?

Mål til inspiration

Beskriv her hvad du ønsker, drømmer om, eller vil opnå i detaljer og gerne så specifikt som muligt.

Sæt kryds i den type mål som du vil beskrive det som.

- Arbejde
- Karriere
- Økonomi
- Familie
- Kærlighed
- Fysisk
- Kreativt
- Selvudvikling
- Psykisk
- Spirituelt
- Udvikling
- Socialt
- Andet______

Noteringsside
Mål jeg vil arbejde med:

Ideboks

Hvad er din motivation?

Beskriv hvad der driver dig mod målet

Hvad er første trin/delmål?

Beskriv her det første skridt eller delmål mod det endelige mål.

På en skal fra 1 - 10, hvor realistisk er det at du kan nå målet?

Beskriv her hvor realistisk det er at du når målet. Vær ærlig og find svarene på hvordan du evt. kan få en højere score.

Hvornår skal du være i mål?

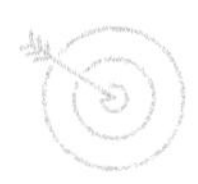

Dine mål
Dit pokalskab

Noter dit eller dine mål ned
ved hver pokal inklusiv dato

Momentum

"Bevidsthed er vejen til målet"

Historie

Med den overvægtige mand begyndte nu et yderst struktureret forløb.

Alle mål blev gjort meget specifikke. Helt fra små mål i dagligdagen til i løbet af ugen.

Vi/han arbejdede udfra en dagsstruktur, og han begyndte, at føre dagbog over den fremgang han oplevede.

Vi arbejdede benhårdt med hans mindset, og langsomt blev tænkemåden: Fejl = Læring integreret. Så selv når der var mindre "set backs", blev disse oplevet som feed back, hvor metodikker og handlinger skulle ændres.

Momentum blev fastholdt, og kiloene så at sige raslede af ham. Endda lidt for hurtigt - så han måtte modtage operationer grundet overskydende hud.

Han var "pludselig" inde i kampen om hans eget liv. Kvaliteten af de oplevede dage steg, og han blev glad, på trods af den skæbne han var stillet i udsigt.

Ved et lægebesøg sagde lægen, lidt uforberedt for manden, at de skulle tale om noget alvorligt. Han blev med det samme nervøs og bange for, hvad der nu skulle komme.

Lægen fortalte ham, at grundet hans store indsats, var han ikke akut i livsfare. Og hvis han forsatte det store arbejde, var der en reel mulighed for, at han ville overleve hans egen død.

Han lever i dag. Han spiser sundt og træner 2-3 gange om ugen. Hvis du så ham, ville du nok tænke, at han er lidt stor. Hvergang jeg ser ham, tænker jeg, at det er helt vildt den rejse han har lavet. Han er glad!

Momentum

Nu har du fået klarlagt dine værdier og dine mål.

Nu skal vi igang med, at eksekvere på de forskellige mål. Eller det ene mål.

I det følgende er der dagbogssider, hvor du skal notere ned, enten hver dag, eller i forhold til hvad der passer dig bedst.

Der vil løbende være små tips & tricks til dig i din dagligdag. Disse vil være symboliseret med dette ikon

Momentum journal

Hvad kan du gøre i denne uge for at holde din motivation oppe?

Hvad ville du miste ved ikke at holde motivationen oppe?

Hvad ville du vinde ved at holde motivationen oppe?

Dato / -

Ideboks

Ideboks

MÅL VISUALISERING
Hvis et mål virker for langt væk eller for urealistisk, så prøv at eksperimentere med visualisering.

Lav et billede af dit mål foran dig.
Hvor befinder det sig foran dig? Er det levende billeder eller stilbillede? Er der farve på? Oppe eller nede? Er det langt væk eller tæt på dig? Hvor lang tid vil det tage at komme derhen?

Prøv nu at rykke billedet længere væk fra dig.
Bliver billeder større, mindre eller forbliver det samme størrelse? Virker det mere opnåeligt? Hænger størrelsen på billedet sammen med tiden det vil tage at nå dertil?

Prøv nu at flytte billedet så langt væk, at du næsten ikke kan se det.
Hvad gør det for motivationen?

Flyt det til sidst tættere på en du var til at starte med.
Vokser din motivation? Gør det målet mere opnåelig og tillokkende? Vil du kunne nå målet hurtigere nu?

Sæt selv billedet i den afstand som er mest behagelig for dig og hvor du mærker den største motivation for at nå det.

Ideboks

Dato / -

Ideboks

Dato /

Hvordan har din uge været?

Hvilke sejre havde du i dag?

Hvad har du lært i dag?

Hvad gjorde du, for at komme tættere på dine mål i dag?

Hvad er du taknemlig for i dag?

Momentum journal

Hvad kan du gøre i denne uge for at holde din motivation oppe?

Hvad ville du miste ved ikke at holde motivationen oppe?

Hvad ville du vinde ved at holde motivationen oppe?

Dato / -

Ideboks

Dato / -

INGEN DAGLIG INTENTION

Begynd aldrig din dag uden en intention.
Vær altid til stede og forberedt i dagens opgave, om det så er i karrieren eller i dit forhold med din partner.
Forbered din dag mentalt inden den starter og spørg dig selv, hvordan du kan være bedst forberedt.

-Hvordan kan jeg være bedst forberedt på salgsmødet?
-Hvordan kan jeg bidrage til, at min kæreste får den bedste dag?
-Hvordan kan jeg opnå mit mål?
Vær forberedt mentalt og gå ind i dagen med en intention.
Fokuser på det vigtigste!

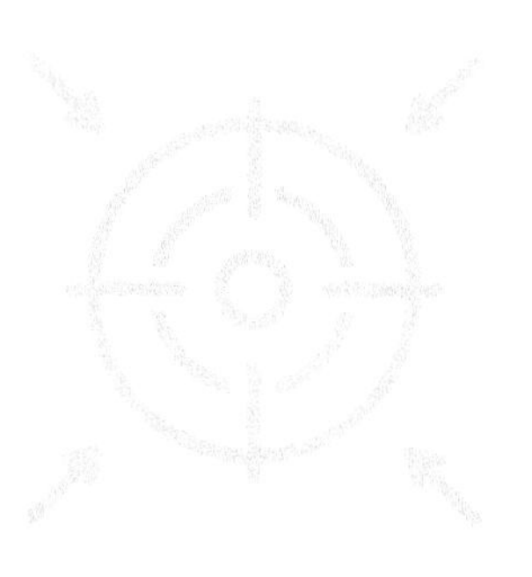

Dato / -

Ideboks

Dato / -

Ideboks

Dato /

Hvordan har din uge været?

Hvilke sejre havde du i dag?

Hvad har du lært i dag?

Hvad gjorde du, for at komme tættere på dine mål i dag?

Hvad er du taknemlig for i dag?

Momentum journal

Hvad kan du gøre i denne uge for at holde din motivation oppe?

Hvad ville du miste ved ikke at holde motivationen oppe?

Hvad ville du vinde ved at holde motivationen oppe?

Dato / -

Ideboks

Dato / -

Ideboks

DÅRLIGE MORGENVANER
Undgå dette om morgenen for at få den bedste start på dagen.

UNDGÅ:
At gå på SoMe som det første når du åbner øjnene.
Når du tjekker ind på de sociale medier som det første, så tjekker du automatisk ud af dit eget liv.
Du træner din hjerne til, at leve andres liv.

Du mister kontrollen over dit liv.

Ser du e-mails som det første når du vågner, så vælger du at leve efter andres dagsorden og ikke din egen.
Altså reagerer du på andres behov og ikke dine egne.
Du stresser dig selv.

Dato / -

Ideboks

Dato / -

Ideboks

Dato /

Hvordan har din uge været?

Hvilke sejre havde du i dag?

Hvad har du lært i dag?

Hvad gjorde du, for at komme tættere på dine mål i dag?

Hvad er du taknemlig for i dag?

Momentum journal

Hvad kan du gøre i denne uge for at holde din motivation oppe?

Hvad ville du miste ved ikke at holde motivationen oppe?

Hvad ville du vinde ved at holde motivationen oppe?

Dato / -

Ideboks

Dato / -

Ideboks

3-MINUTTERS REGLEN

Mangler du motivationen til at udføre en opgave, komme tættere på dit mål eller bare få gjort den ting som du har udsat.

Fortæl dig selv, at du kun skal gøre det i 3 minutter.

Ved at fortælle din hjerne, at du skal bruge 3 minutter på den pågældende ting, så virker det ikke så uoverskueligt og når de 3 minutter er gået, så er du i gang, lysten er kommet og du vælger at fortsætte.

Prøv det næste gang du skal udføre en opgave.

Dato / -

Ideboks

Dato / -

Ideboks

Dato /

Hvordan har din uge været?

Hvilke sejre havde du i dag?

Hvad har du lært i dag?

Hvad gjorde du, for at komme tættere på dine mål i dag?

Hvad er du taknemlig for i dag?

30 dages målsætningskontrakt på dine værdier

Over de næste 30 dage vil jeg arbejde med denne/disse værdier og opnå dette mål.

Det er vigtigt for mig fordi...

Planen for at nå mit mål er...

Jeg bekræfter hermed at jeg vil nå mit mål inden for de næste 30 dage

Dato / - Underskrift

Momentum journal

Hvad kan du gøre i denne uge for at holde din motivation oppe?

Hvad ville du miste ved ikke at holde motivationen oppe?

Hvad ville du vinde ved at holde motivationen oppe?

Dato / -

Ideboks

Dato / -

Ideboks

KONTROL
Dette er ting som vi har 100% kontrol over.
Det kan være, om vi sidder med smartphone eller ej.
Eller måske det forhold vi er i.

INDFLYDELSE
Dette er ting som vi kan påvirke.
Det kan være, hvor meget indflydelse vi har
på fordelingen af husarbejde i hjemmet.

UDEN FOR INDFLYDELSE
Dette er ting som er uden for vores indflydelse.
Det kan være sygdom, regler eller andres meninger.

Tag ikke ansvar for noget du ikke har kontrol over.
Tænk over hvor du placerer dit fokus.
Vær kun i de to inderste cirkler.

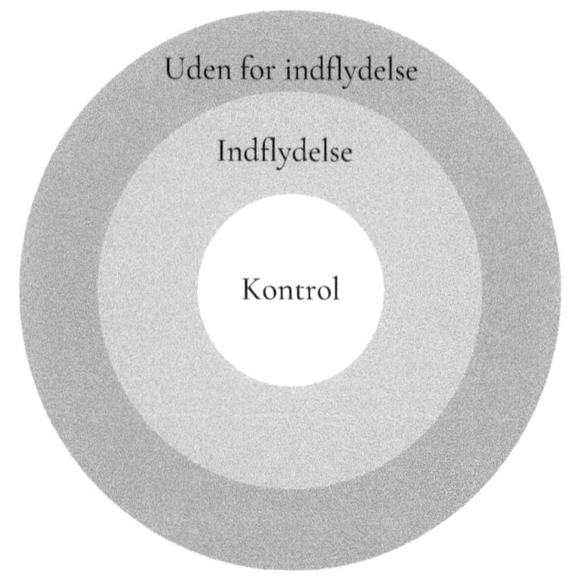

Dato / -

Ideboks

Dato / -

Ideboks

Dato /

Hvordan har din uge været?

Hvilke sejre havde du i dag?

Hvad har du lært i dag?

Hvad gjorde du, for at komme tættere på dine mål i dag?

Hvad er du taknemlig for i dag?

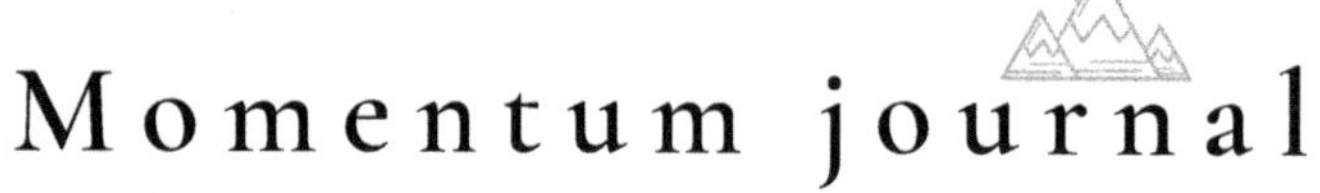

Momentum journal

Hvad kan du gøre i denne uge for at holde din motivation oppe?

Hvad ville du miste ved ikke at holde motivationen oppe?

Hvad ville du vinde ved at holde motivationen oppe?

Dato / -

Ideboks

Dato / -

Ideboks

Du kan ikke styre dine omgivelser,
men du kan styre din reaktion
på dine omgivelser

Dato / -

Ideboks

Dato / -

Ideboks

Dato /

Hvordan har din uge været?

Hvilke sejre havde du i dag?

Hvad har du lært i dag?

Hvad gjorde du, for at komme tættere på dine mål i dag?

Hvad er du taknemlig for i dag?

Momentum journal

Hvad kan du gøre i denne uge for at holde din motivation oppe?

Hvad ville du miste ved ikke at holde motivationen oppe?

Hvad ville du vinde ved at holde motivationen oppe?

Dato / -

Ideboks

Dato / -

Ideboks

NOT TO-DO-LIST

Du kender sikkert til en To-do-list.
Prøv at vend tingene om og lav en
NOT to-do-list, hvor du skiller dig af med
dårlige vaner og falske ovrbevisninger.
Få sorteret ud i de ligegyldige ting og
fokuser på det som er vigtigst for dig.

Dato / -

Ideboks

Dato / -

Ideboks

Dato /

Hvordan har din uge været?

Hvilke sejre havde du i dag?

Hvad har du lært i dag?

Hvad gjorde du, for at komme tættere på dine mål i dag?

Hvad er du taknemlig for i dag?

Momentum journal

Hvad kan du gøre i denne uge for at holde din motivation oppe?

Hvad ville du miste ved ikke at holde motivationen oppe?

Hvad ville du vinde ved at holde motivationen oppe?

Dato / -

Ideboks

Dato / -

Ideboks

Dine overbevisninger styrer dine handlinger som skaber dine resultater.

Dine overbevisning er noget som du er overbevist om og hvis du er overbevist om det, så vil det styre din adfærd og dermed også dine handlinger.

Samme overbevisning skaber samme handling, som giver samme resultat.

Nye overbevisninger skaber nye handlinger, som giver nye resultater

Find og fokuser på dine støttende overbevisninger og ikke din hæmmende overbevisninger.

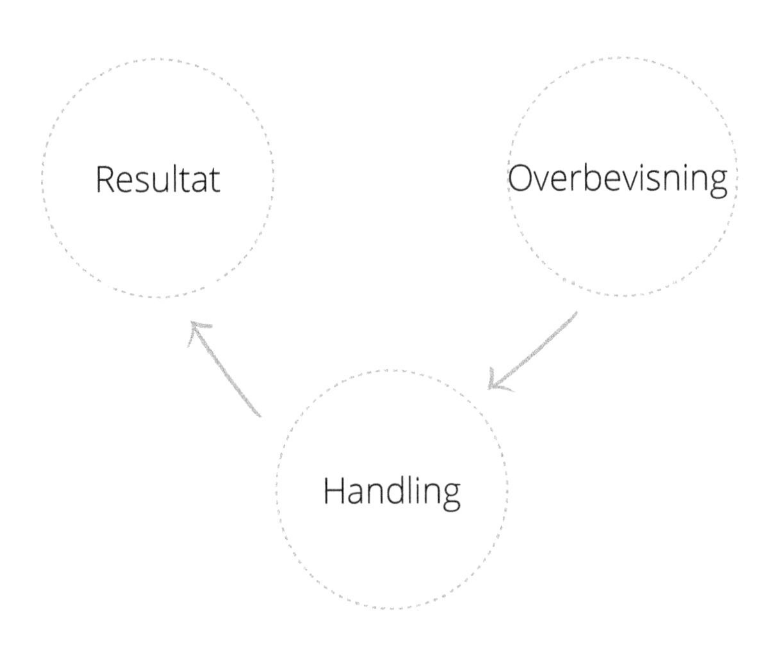

Dato / -

Ideboks

Dato / -

Ideboks

Dato /

Hvordan har din uge været?

Hvilke sejre havde du i dag?

Hvad har du lært i dag?

Hvad gjorde du, for at komme tættere på dine mål i dag?

Hvad er du taknemlig for i dag?

30 dages målsætningskontrakt på dine værdier

Over de næste 30 dage vil jeg arbejde med denne/disse værdier og opnå dette mål.

Det er vigtigt for mig fordi...

Planen for at nå mit mål er...

Jeg bekræfter hermed at jeg vil nå mit mål inden for de næste 30 dage

Dato / - Underskrift

Momentum journal

Hvad kan du gøre i denne uge for at holde din motivation oppe?

Hvad ville du miste ved ikke at holde motivationen oppe?

Hvad ville du vinde ved at holde motivationen oppe?

Dato / -

Ideboks

Dato / -

Ideboks

Du vil sikkert se en hel serie på Netflix, selvom du synes at de første afsnit går lidt langsomt, bare fordi en ven har anbefalet den.

Hvorfor ikke se på dine mål, på samme måde og se dit liv blive bedre?

Det kan gå lidt langsomt i starten, men belønningen i slutningen er det hele værd

Dato / -

Ideboks

Dato / -

Ideboks

Dato /

Hvordan har din uge været?

Hvilke sejre havde du i dag?

Hvad har du lært i dag?

Hvad gjorde du, for at komme tættere på dine mål i dag?

Hvad er du taknemlig for i dag?

Momentum journal

Hvad kan du gøre i denne uge for at holde din motivation oppe?

Hvad ville du miste ved ikke at holde motivationen oppe?

Hvad ville du vinde ved at holde motivationen oppe?

Dato / -

Ideboks

Dato / -

Ideboks

HVORDAN TÆNKER DU?

Starter med, at se hvad der kan gå galt?	Starter med, at se på mulighederne
Forbedrer en eksisterende vej	Bygger en helt ny vej
Bygger på noget, der allerede er lavet	Bygger noget, som fremtiden har brug for
Tænker over, hvordan du opnår målet	Tænker over, hvorfor det er godt at opnå målet

Hvad tror du er bedst
for dig og dine mål?

Dato / -

Ideboks

Dato / -

Ideboks

Dato /

Hvordan har din uge været?

Hvilke sejre havde du i dag?

Hvad har du lært i dag?

Hvad gjorde du, for at komme tættere på dine mål i dag?

Hvad er du taknemlig for i dag?

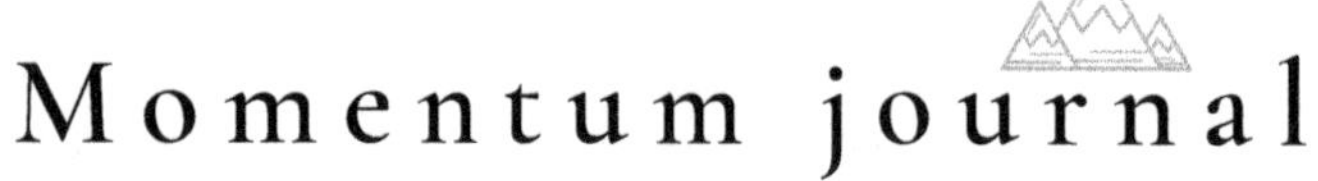

Momentum journal

Hvad kan du gøre i denne uge for at holde din motivation oppe?

Hvad ville du miste ved ikke at holde motivationen oppe?

Hvad ville du vinde ved at holde motivationen oppe?

Dato / -

Ideboks

Ideboks

Farten betyder ikke noget

Fremad er fremad

Dato / -

Ideboks

Dato / -

Ideboks

Dato /

Hvordan har din uge været?

Hvilke sejre havde du i dag?

Hvad har du lært i dag?

Hvad gjorde du, for at komme tættere på dine mål i dag?

Hvad er du taknemlig for i dag?

Momentum journal

Hvad kan du gøre i denne uge for at holde din motivation oppe?

Hvad ville du miste ved ikke at holde motivationen oppe?

Hvad ville du vinde ved at holde motivationen oppe?

Dato / -

Ideboks

Dato / -

Ideboks

FOKUS

Har du prøvet, at kigge på bagsædet når du kører bil. Og oplevet at bilen med det samme kommer ud af kurs.

Eller har du prøvet, når du cykler, at kigge tilbage og oplevet en voldsom slingren.

For næsten alle mennesker er svaret "ja"

Det er det samme, når vi sætter mål. Hvis du ikke har fokus på målet, er der stor mulighed for, at du kommer ud af kurs.

Dato / -

Ideboks

Dato / -

Ideboks

Dato /

Hvordan har din uge været?

Hvilke sejre havde du i dag?

Hvad har du lært i dag?

Hvad gjorde du, for at komme tættere på dine mål i dag?

Hvad er du taknemlig for i dag?

30 dages målsætningskontrakt på dine værdier

Over de næste 30 dage vil jeg arbejde med denne/disse værdier og opnå dette mål.

Det er vigtigt for mig fordi...

Planen for at nå mit mål er...

Jeg bekræfter hermed at jeg vil nå mit mål inden for de næste 30 dage

Dato / - Underskrift

Momentum journal

Hvad kan du gøre i denne uge for at holde din motivation oppe?

Hvad ville du miste ved ikke at holde motivationen oppe?

Hvad ville du vinde ved at holde motivationen oppe?

Dato / -

Ideboks

Dato / -

Ideboks

DU SKAL IKKE STARTE MED AT STOPPE.

En klient brugte dette mantra, som giver god mening.

Han spiste for mange søde sager om aftenen og ville minimere det.

Nu havde han sat sig et mål om hvor meget han måtte spise pr uge.
Det skulle han holde, og slet ikke starte med at stoppe med, at opnå sit mål

Dato / -

Ideboks

Dato / -

Ideboks

Dato /

Hvordan har din uge været?

Hvilke sejre havde du i dag?

Hvad har du lært i dag?

Hvad gjorde du, for at komme tættere på dine mål i dag?

Hvad er du taknemlig for i dag?

Momentum journal

Hvad kan du gøre i denne uge for at holde din motivation oppe?

Hvad ville du miste ved ikke at holde motivationen oppe?

Hvad ville du vinde ved at holde motivationen oppe?

Dato / -

Ideboks

Dato / -

Ideboks

Din tro bliver dine tanker

Dine tanker bliver dine ord

Dine ord bliver dine handlinger

Dine handlinger bliver dine vaner

Dine vaner bliver dine værdier

Dine værdier bliver din skæbne

Dato / -

Ideboks

Dato / -

Ideboks

Hvordan har din uge været?

Hvilke sejre havde du i dag?

Hvad har du lært i dag?

Hvad gjorde du, for at komme tættere på dine mål i dag?

Hvad er du taknemlig for i dag?

Momentum journal

Hvad kan du gøre i denne uge for at holde din motivation oppe?

Hvad ville du miste ved ikke at holde motivationen oppe?

Hvad ville du vinde ved at holde motivationen oppe?

Dato / -

Ideboks

Dato / -

Ideboks

Monotasking

Tænk over hvor mange ting du laver på en gang.
Fokuser på den ene ting som du laver, så den har hele dit fokus og du ikke bliver distraheret.

Monotask og ikke multitask når du skal opnå dine mål

Dato / -

Ideboks

Ideboks

Dato /

Hvordan har din uge været?

Hvilke sejre havde du i dag?

Hvad har du lært i dag?

Hvad gjorde du for at komme tættere på dine mål i dag?

Hvad er du taknemlig for i dag?

Momentum journal

Hvad kan du gøre i denne uge for at holde din motivation oppe?

Hvad ville du miste ved ikke at holde motivationen oppe?

Hvad ville du vinde ved at holde motivationen oppe?

Dato / -

Ideboks

Dato / -

Ideboks

FEJLFOKUS

Jeg voksede op på landet og der var denne her vej.

Vejen var meget snoet og bugtet og lang.

Der var ved selve vejen i et af svingene et vejtræ. Vældig ofte var der biler der kørte ind i dette træ. Alle talte tit om dette - hvad det mon var der gjorde at folk kørte ind i dette træ.

Til sidst blev træet fældet og siden da, skete der ingen uheld på vejen.

Dato / -

Ideboks

Dato / -

Ideboks

Hvordan har din uge været?

Hvilke sejre havde du i dag?

Hvad har du lært i dag?

Hvad gjorde du for at komme tættere på dine mål i dag?

Hvad er du taknemlig for i dag?

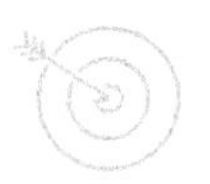

30 dages målsætningskontrakt på dine værdier

Over de næste 30 dage vil jeg arbejde med denne/disse værdier og opnå dette mål.

Det er vigtigt for mig fordi...

Planen for at nå mit mål er...

Jeg bekræfter hermed at jeg vil nå mit mål inden for de næste 30 dage

Dato / - Underskrift

Momentum journal

Hvad kan du gøre i denne uge for at holde din motivation oppe?

Hvad ville du miste ved ikke at holde motivationen oppe?

Hvad ville du vinde ved at holde motivationen oppe?

Dato / -

Ideboks

Ideboks

GLÆDE er den nye RIGDOM

INDRE FRED er den nye SUCCES

SUNDHED er det nye VELFÆRD

VENLIGHED er det ny COOL

Dato / -

Ideboks

Dato / -

Ideboks

Dato /

Hvordan har din uge været?

Hvilke sejre havde du i dag?

Hvad har du lært i dag?

Hvad gjorde du for at komme tættere på dine mål i dag?

Hvad er du taknemlig for i dag?

Momentum journal

Hvad kan du gøre i denne uge for at holde din motivation oppe?

Hvad ville du miste ved ikke at holde motivationen oppe?

Hvad ville du vinde ved at holde motivationen oppe?

Dato / -

Ideboks

Dato / -

Ideboks

KILIMANJARO

300 meter fra toppen af Killimanjaro, verdens 6. højeste bjerg, mødte og vandrede jeg med en Australsk fyr.

Mens vi tog støvlerne af efter 6 timers vandring i en isørken, sagde han denne sætning som jeg aldrig glemmer:
"If you "stick" to your boots, they "stick" to you"

Det er en fed sætning!

Mit engelsk var ikke top tunet dengang, men mit modsvar var:
"And if you are taking care of your body it takes care of you"

Han kiggede op med et smil i øjnene og sagde tørt: "You're so godamn wise..... "

og så grinede vi sammen.

Dato / -

Ideboks

Dato /   -

Ideboks

Dato /

Hvordan har din uge været?

Hvilke sejre havde du i dag?

Hvad har du lært i dag?

Hvad gjorde du for at komme tættere på dine mål i dag?

Hvad er du taknemlig for i dag?

Momentum journal

Hvad kan du gøre i denne uge for at holde din motivation oppe?

Hvad ville du miste ved ikke at holde motivationen oppe?

Hvad ville du vinde ved at holde motivationen oppe?

Dato / -

Ideboks

Dato / -

Ideboks

DIN FORANDRING

Den ændring du søger i dit liv,
findes ofte i det stykke arbejde du undgår

Dato / -

Ideboks

Dato / -

Ideboks

Dato /

Hvordan har din uge været?

Hvilke sejre havde du i dag?

Hvad har du lært i dag?

Hvad gjorde du for at komme tættere på dine mål i dag?

Hvad er du taknemlig for i dag?

Momentum journal

Hvad kan du gøre i denne uge for at holde din motivation oppe?

Hvad ville du miste ved ikke at holde motivationen oppe?

Hvad ville du vinde ved at holde motivationen oppe?

Ideboks

Dato / -

Ideboks

DE ANDRES FORANDRING

Du kan ikke ændre på
andre menneskers opførsel.

Men du kan ændre
på dig selv
og derved ændre andres
opfattelse af dig.

Dato / -

Ideboks

Dato / -

Ideboks

Dato /

Hvordan har din uge været?

Hvilke sejre havde du i dag?

Hvad har du lært i dag?

Hvad gjorde du for at komme tættere på dine mål i dag?

Hvad er du taknemlig for i dag?

30 dages målsætningskontrakt på dine værdier

Over de næste 30 dage vil jeg arbejde med denne/disse værdier og opnå dette mål.

Det er vigtigt for mig fordi...

Planen for at nå mit mål er...

Jeg bekræfter hermed at jeg vil nå mit mål inden for de næste 30 dage

Dato / - Underskrift

Momentum journal

Hvad kan du gøre i denne uge for at holde din motivation oppe?

Hvad ville du miste ved ikke at holde motivationen oppe?

Hvad ville du vinde ved at holde motivationen oppe?

Dato / -

Ideboks

Dato / -

Ideboks

TANKEMYLDER

Parkér dit tankemylder. I stedet for at give det plads hele dagen, så parkér det i et bestemt tidsrum på dagen.

For eksempel kunne du gøre det på denne måde:
Jeg giver mit tankemylder plads hverdag fra kl. 1600 til kl. 1630

I det øvrige tidsrum er det så din opgave at tvinge dig selv til, at skubbe tankemylderet hen det det tidsrum, du giver det plads.

Og kun der!

Dato / -

Ideboks

Dato /   -

Ideboks

Dato /

Hvordan har din uge været?

Hvilke sejre havde du i dag?

Hvad har du lært i dag?

Hvad gjorde du for at komme tættere på dine mål i dag?

Hvad er du taknemlig for i dag?

Momentum journal

Hvad kan du gøre i denne uge for at holde din motivation oppe?

Hvad ville du miste ved ikke at holde motivationen oppe?

Hvad ville du vinde ved at holde motivationen oppe?

Dato / -

Ideboks

Dato / -

Ideboks

NUANCER

På indianersproget Maidu findes der kun 4 ord for alle farver i hele verden.

På Inuit findes der mere end 10.000 ord for sne.

På tibetansk findes der mere end 50.000 beskrevne følelser.

Jo større viden du har om et givent emne, jo større er din forståelse for dette.

Dato / -

Ideboks

Dato / -

Ideboks

Dato / -

Ideboks

Dato /

Hvordan har din uge været?

Hvilke sejre havde du i dag?

Hvad har du lært i dag?

Hvad gjorde du for at komme tættere på dine mål i dag?

Hvad er du taknemlig for i dag?

Lightning Source UK Ltd.
Milton Keynes UK
UKHW030626260421
382641UK00006B/485